Aus dem Französischen von:
Stefanie Gabriel
Susanne Kaufmann

Dein buntes Wörterbuch der Tiere

Illustrationen:
Lindsey Selley

Idee und Text:
Emilie Beaumont
Marie-Renee Pimont

FLEURUS VERLAG, Augustastraße 1 a - 77654 Offenburg

Die Henne brütet die Eier aus, bis die Küken schlüpfen.

Beim Schlüpfen zerbricht das Küken die Schale mit seinem Schnabel.

Bei Sonnenaufgang weckt der Hahn mit seinem Krähen den Bauernhof.

Der Hahn, die Henne und das Küken schlafen im Hühnerstall.

der Hahn

Die Entenmutter und ihre Jungen schwimmen gerne auf dem See.

Geschickt zieht das Entenjunge Regenwürmer aus der Erde.

Wenn der Sommer vorbei ist, ziehen die Wildgänse in wärmere Länder.

Auf Bauernhöfen werden Gänse oft in einer Herde gehalten.

Auf dem Bauernhof leben die Kaninchen im Kaninchenstall.

Kaninchen fressen gerne Salatblätter und Karotten.

Wenn der Truthahn aufgeregt
st, stellt er seine Schwanzfedern
auf.

Die Truthenne wird auch Pute
genannt.

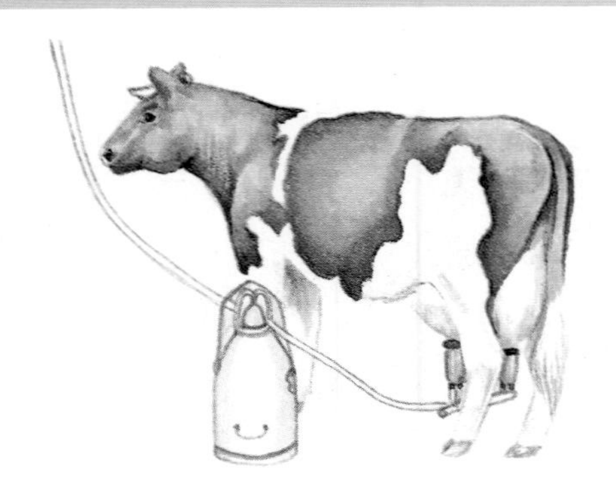

Heutzutage werden die Kühe mit einer Melkmaschine gemolken.

Aus Milch stellt man Käse, Joghurt und Butter her.

die Kuh

das Kalb

Hier fressen die Kühe ihr Heu im Kuhstall.

In einigen Ländern kämpfen Stiere in einer Arena.

Manche Pferde zeigen in der Zirkusmanege Kunststücke.

Dieses Pferd nimmt mit seinem Reiter an einem Wettkampf teil.

Der Esel ist sehr kräftig. Er kann viele schwere Lasten tragen.

Der Esel ist stur: Wenn er nicht vorwärts will, dann ist er kaum von der Stelle zu bewegen.

Die Mutter der kleinen Schweinchen, der Ferkel, heißt Sau.

Schweine wühlen gerne im Schlamm.

das Schwein

das Ferkel

Den Laut der Ziege nennt man Meckern.

Aus Ziegenmilch kann man guten Käse machen.

In jeder Herde gibt es ein Leittier, dem die anderen folgen.

Einmal im Jahr schert man die Schafe, um aus ihrem Fell Wolle zu machen.

Nachts geht das Wildschwein im Wald auf Futtersuche.

Die kräftigen Eckzähne des Wildschweines werden Hauer genannt.

das Wildschwein

der Frischling

Tiere auf dem Bauernhof

Im Winter wird das Fell des Wolfes weiß.

Der Wolf streift vor allem nachts umher. Sein Geheul ist weithin hörbar.

Der Fuchs lebt mit seinen Jungen in einem Fuchsbau.

Der Fuchs wildert gerne in den Hühnerställen.

der Fuchs

die Füchschen

Bei der Geburt hat das Hirschkalb ein weißgetupftes Fell.

Wenn das Hirschkalb ein Jahr alt ist, beginnt das Geweih zu wachsen.

Jedes Jahr werfen die Hirsche im Winter ihr Geweih ab. Es wächst bald wieder nach.

Um ihr Revier zu verteidigen, kämpfen die Hirsche gegeneinander.

der Hirsch

Das Eichhörnchen baut das Nest für die Jungen in einer Astgabel.

Es knabbert gerne Wal- und Haselnüsse.

das Eichhörnchen

Manchmal stiehlt das Wiesel Vogeleier.

Das Wiesel jagt oft Maulwürfe, Ratten und Mäuse.

das Wiesel

Um seine Feinde zu vertreiben, gibt das Stinktier einen unangenehmen Duft ab.

Oft richtet es in Hühnerställen großen Schaden an.

das Stinktier

Tags schläft der Dachs in seinem Bau, nachts geht er auf Jagd.

Gerne fängt der Dachs am Fluß Frösche.

der Dachs

Dieser Bär entdeckt in einem hohlen Baum Honig.

Mit Leichtigkeit kann der Bär Fische fangen.

Der Panda lebt hauptsächlich von Bambuspflanzen.

Er ist ein richtiger Akrobat, denn er klettert ausgezeichnet.

der Panda und sein Junges

Tiere des Waldes

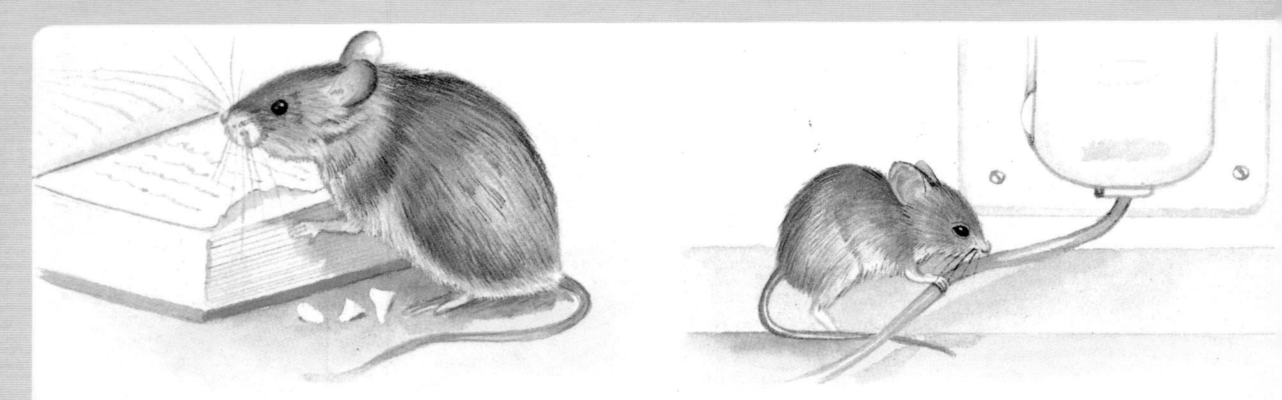

Mäuse fressen nicht nur Käse und Brot, sie nagen auch Papier, Plastik und Holz an.

Die Feldmaus sammelt Vorräte in ihrem Bau.

Sie gräbt unterirdische Gänge.

die Feldmaus

Die Spitzmaus fängt Insekten.

Sie schläft in Mauerlöchern oder in alten Baumstümpfen.

die Spitzmaus

Bei Gefahr rollt sich der Igel zu einer Kugel zusammen.

Er schreckt nicht davor zurück, eine Kreuzotter anzugreifen.

der Igel

Das Wildkaninchen lebt in einem Bau.

Oft richten Kaninchen in den Feldern großen Schaden an.

das Wildkaninchen

Der Hase lebt in einer Grube.

Dank seiner langen Hinterbeine kann der Hase sehr schnell laufen.

der Hase

Der Maulwurf ist fast blind. Er gräbt mit seinen Vorderpfoten unterirdische Gänge und wirft dabei die Erde zu Maulwurfshügeln auf.

der Maulwurf

Die Eidechse liegt gerne auf Steinen, um sich in der Sonne zu wärmen.

Verliert die Eidechse einen Teil ihres Schwanzes, macht das nichts: Er wächst nach!

Wenn es regnet, kommt die Schnecke aus ihrem Haus.

Sie legt ihre kleinen weißen Eier in der Erde ab.

Nach und nach verwandelt sich die Raupe in einen schönen Schmetterling.

der Schmetterling

Tiere auf Feldern und Wiesen

Langsam werden aus den Kaulquappen Frösche.

Die kräftigen Hinterbeine lassen den Frosch schnell und weit springen.

der Frosch

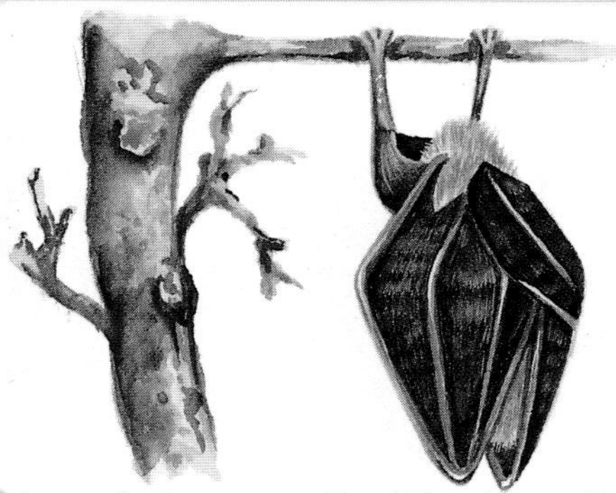

Tags hängen die Fledermäuse zum Schlafen kopfüber an Bäumen oder Mauern.

Die Fledermaus fängt Insekten in vollem Flug.

die Fledermaus

Der Biber kann einen Baum fällen, indem er den Stamm durchnagt.

Aus Schlamm und Zweigen baut er Dämme.

der Biber

Der Waschbär wäscht sein Futter vor dem Fressen.

Er liebt es, auf Bäumen herumzuklettern.

der Waschbär

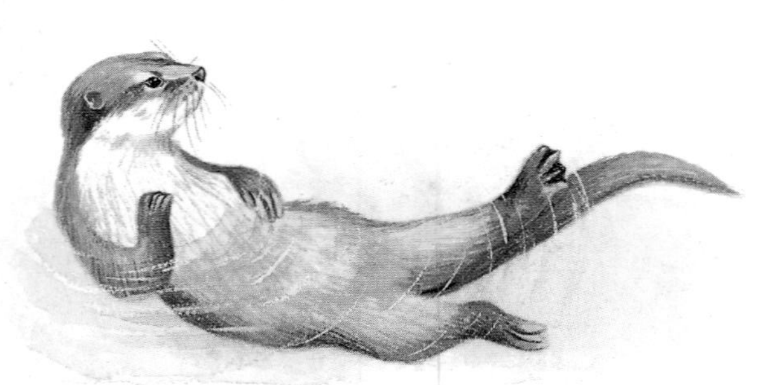

Um auszuruhen, läßt der Fischotter sich auf dem Rücken treiben.

Er ist ein guter Taucher und fängt mühelos Fische.

der Fischotter

Am Ende des Sommers ziehen die Wildenten in wärmere Länder.

Zum Schutz verbergen sie sich im Schilf.

die Wildente

Der Graureiher ist ein Stelzvogel. Beine, Hals und Schnabel sind sehr lang. Er lebt am Ufer von Gewässern.

der Graureiher

Die Grasmücke baut ihr Nest im Schilf.

Blitzschnell taucht der Eisvogel, um Fische zu fangen.

Tiere am Ufer

In Freiheit lebt der Fasan auf Feldern und im Unterholz.

Auf dem Bauernhof wird er gemeinsam mit Hühnern und Enten gehalten.

Die Jungen des Rebhuhns fangen gerne Ameisen.

Rebhühner ernähren sich hauptsächlich von Gras.

das Rebhuhn

Die Taube schläft im Taubenschlag. Sie gurrt.

Die Brieftaube findet von überall den Weg zu ihrem Schlag zurück.

die Taube

Die Möwen umkreisen die Schiffe, die vom Fischfang zurückkommen.
Sie versuchen, einige Fische zu ergattern.

die Möwe

Das Rotkehlchen baut sein Nest in Büschen.

Vögel ernähren sich in erster Linie von Insekten.

ᴐer Grünspecht klopft gegen
en Baumstamm und lockt so
ısekten hervor.

Die Meise baut ihr Nest in alten
Bäumen.

Bei Tagesanbruch beginnt die Amsel zu singen.

Am liebsten pickt der Rabe frischgesäte Getreidekörner auf dem Feld.

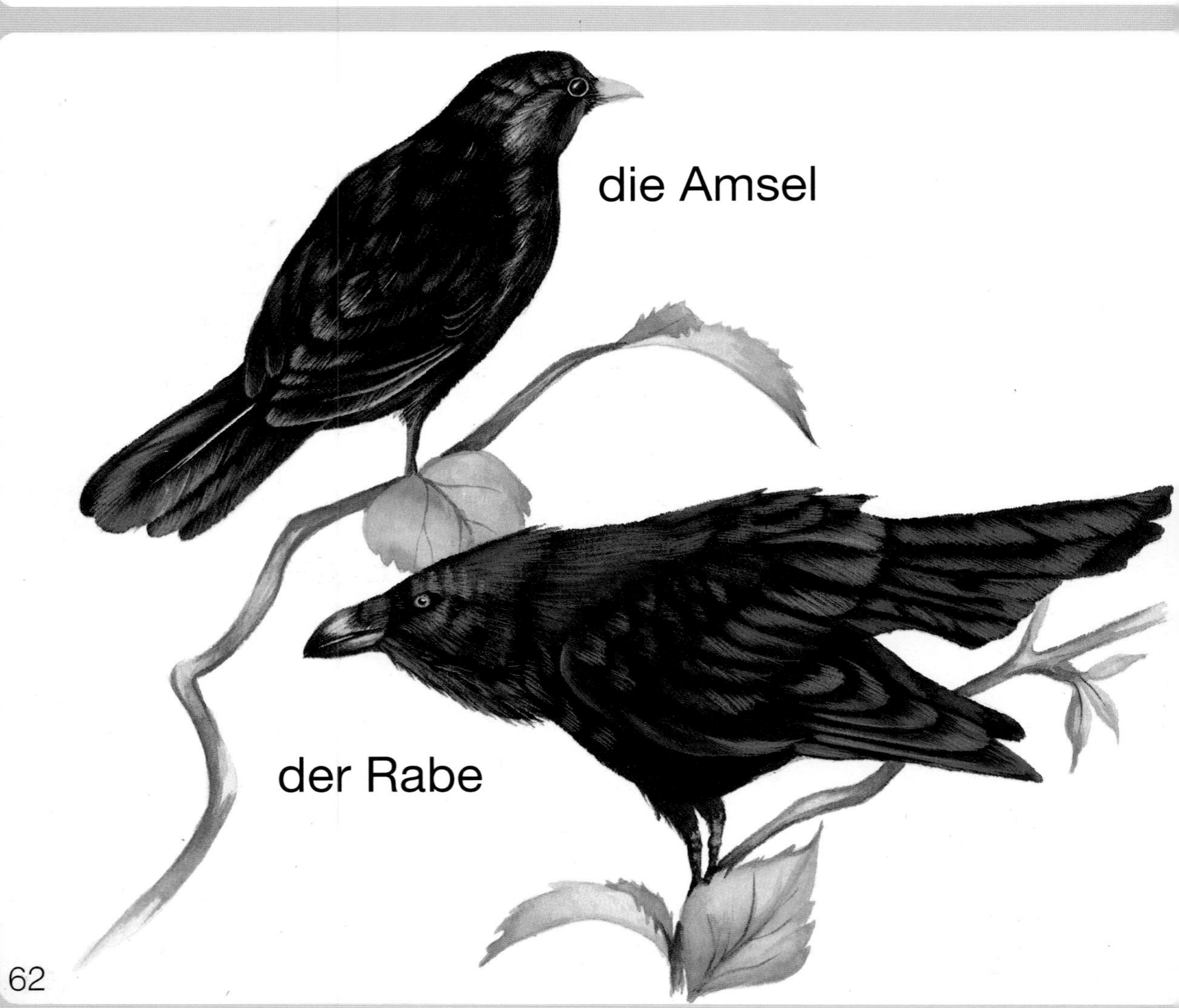

Die Elster räubert oftmals in den Nestern anderer Vögel.

Sie liebt alles, was glänzt, und manchmal stiehlt sie sogar Schmuck.

die Elster

Spatzen leben nicht alleine,
sondern immer in einer Schar.

Mit Vorliebe frißt der Spatz
Weintrauben.

der Spatz

Meistens baut die Schwalbe ihr Nest unter Dächern.

Am Ende des Sommers sammeln sich die Schwalben, um in den Süden zu ziehen.

die Schwalbe

Normalerweise werden Papageien sehr alt. Manche von ihnen können Wörter oder Laute nachahmen.

die Papageien

Der Wellensittich und der Papagei gehören zur gleichen Familie.

Kanarienvögel picken vor allem Körner.

Der Adler baut sein Nest in den Felsen der Hochgebirge.

Er ist ein guter Jäger, der seine Beute mit den Krallen greift.

der Adler

Der Uhu schläft am Tag und jagt nachts.

Die Eule jagt oft Mäuse und andere kleine Tiere.

die Eule

Die Mutter füttert ihr Junges mit Fischen, die sie im Schnabel bringt.

Der Pelikan hat große, kräftige Flügel.

der Pelikan

Da der Flamingo sehr schwer ist, muß er vor dem Losfliegen Anlauf nehmen.

Er ernährt sich von Algen und kleinen Krebstieren.

der Flamingo

Der Storch baut sein Nest oben auf den Schornsteinen.

Wenn der Herbst beginnt, ziehen die Störche in den Süden.

der Storch

Der Schwan ist ein schöner Vogel. Doch sein Verhalten ist unberechenbar.

Er baut sein Nest an See- oder Teichufern.

der Schwan

Gleich nach dem Schlüpfen bringt die Mutter ihre Jungen ins Wasser.

Das Krokodil ist ein sehr guter Schwimmer. Lautlos gleitet es durchs Wasser.

das Krokodil

Die Mutter trägt ihre Jungen auf dem Rücken umher.

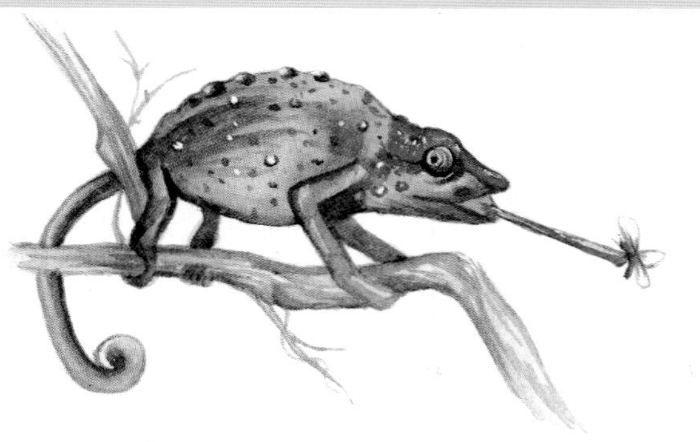

Das Chamäleon fängt seine Beute mit der Zunge, die es blitzschnell entrollt.

Tagsüber bleibt das Nilpferd im Wasser, um sich vor der Hitze zu schützen.

Nachts ist es unterwegs, um Gras zu fressen.

das Nilpferd

Manche Vögel leben auf dem Nashorn und picken dessen Ungeziefer weg.

Es gibt verschiedene Nashornarten: Manche haben ein Horn, andere zwei Hörner.

das Nashorn

Die Gazelle zupft Blätter von den Bäumen.

Bei Gefahr kann sie sehr schnell davonlaufen.

die Gazelle

Das gestreifte Fell macht es dem Zebra leicht, sich zu verbergen.

Das Zebra, das mit dem Pferd nahe verwandt ist, ernährt sich von Gras.

das Zebra

Das Dromedar transportiert Lasten durch die Wüste.

Es ist zäh: Es kann einen ganzen Tag lang laufen ohne auszuruhen.

das Dromedar

Das Kamel hat zwei große Höcker, die mit Fett gefüllt sind.

Es muß sich hinlegen, damit der Reiter aufsteigen kann.

das Kamel

Der Elefant ist das größte auf dem Land lebende Tier. Er kann hundert Jahre alt werden. Oft wird er wegen seiner Stoßzähne aus Elfenbein gejagt.

der Elefant

Um trinken zu können, muß die Giraffe ihre Beine einknicken.

Mit ihrem langen Hals erreicht sie auch die obersten Baumblätter

die Giraffe

Der Orang-Utan ist ein großer Affe und gehört zu der Familie der Gorillas.

Wie der Gorilla frißt der Orang-Utan Blätter und Früchte.

der Gorilla

Von allen Affen ist der Gorilla der größte und stärkste.

Junge Schimpansen sind leicht zu dressieren.

Brüllaffen stoßen Schreie aus, die auch weit entfernt hörbar sind.

Der Fennek oder Wüstenfuchs lebt in der Wüste.

Nachts geht der Schakal auf Nahrungssuche.

Der Große Ameisenbär ernährt sich hauptsächlich von Ameisen, die er mit seiner langen, klebrigen Zunge fängt.

der Große Ameisenbär

Die Gnus leben in Herden. Oft laufen sie tagelang, um Wasserstellen und Weidegras zu finden.

das Gnu

Die Löwin hütet ihre eigenen,
aber auch fremde Jungen.

Sie trägt ihre Jungen im Maul.

der Löwe

die Löwin

Der Panther schleppt seine Beute hoch auf die Bäume.

Schwarze Panther sind sehr selten.

der Panther

Der Gepard ist eines der schnellsten Tiere.

Der Tiger ist ein furchterregender Jäger, der seine Beute anspringt.

Das Känguruhjunge lebt im Beutel der Mutter.

Statt zu laufen, macht das Känguruh kraftvolle Sprünge.

das Känguruh

)er Koalabär kann an einen
}aum geklammert schlafen.

Er trinkt niemals. Die Blätter des
Eukalyptusbaumes stillen seinen
Durst.

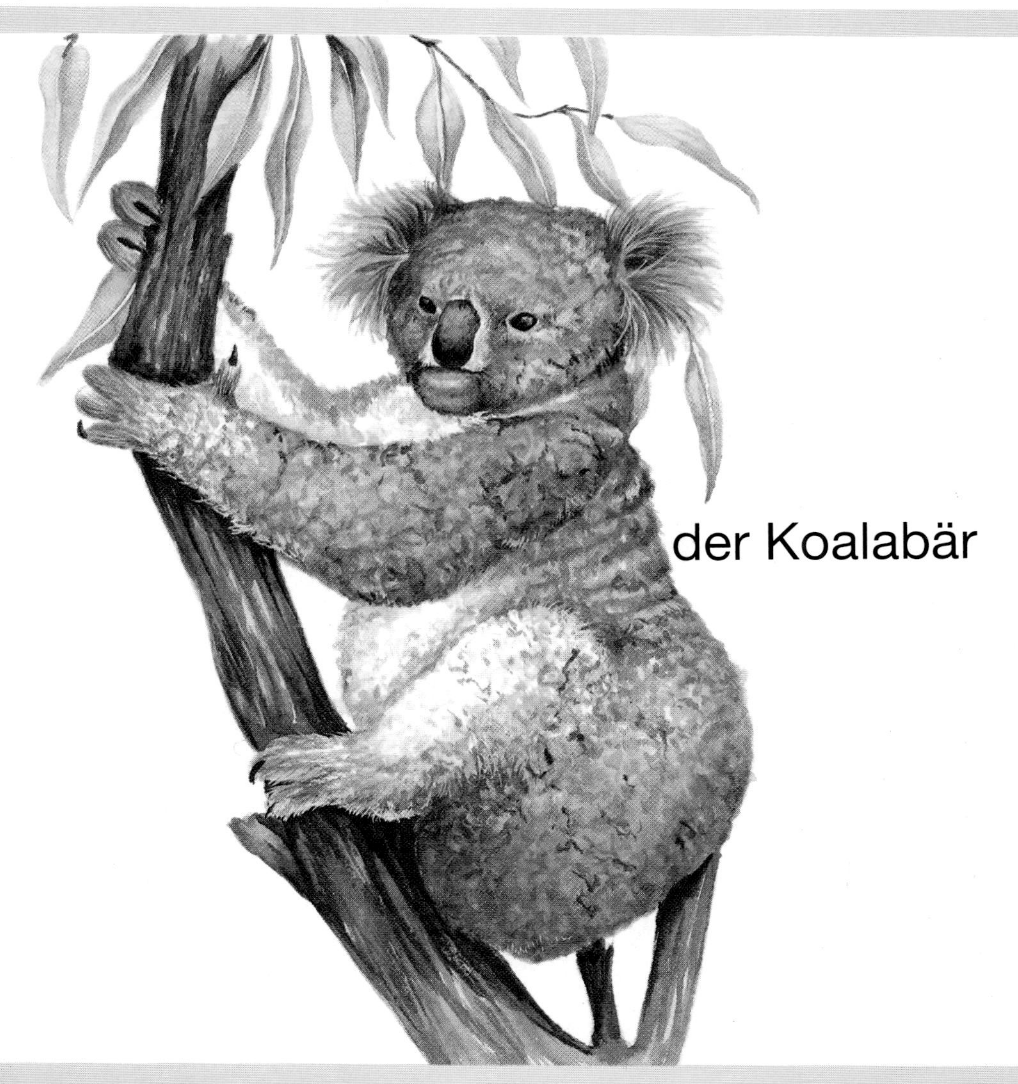

der Koalabär

Tiere in fernen Ländern

Die Boa ist sehr kräftig. Sie tötet ihre Beute, indem sie sie würgt.

Die Schlange streift ihre alte Haut ab, wenn sie zu klein geworden ist.

die Boa

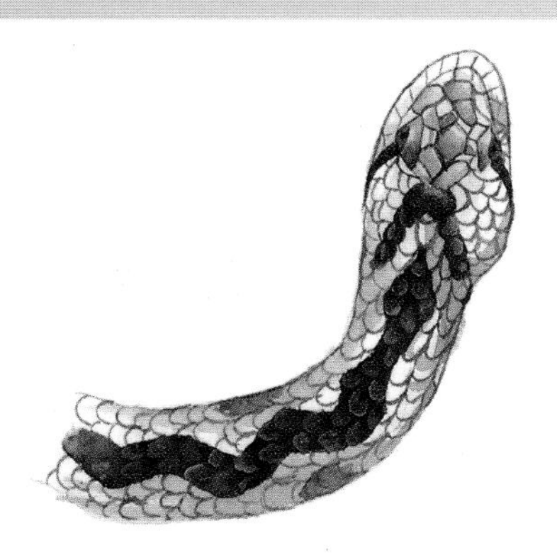

Die Viper kann man leicht an dem V an ihrem Kopf erkennen.

Die Natter ist nicht gefährlich. Sie lebt in feuchten Gebieten.

Die Gemse lebt im Hochgebirge.

Sie ist sehr geschickt. Ohne Schwierigkeit springt sie von Fels zu Fels.

die Gemse

Das Murmeltier lebt in einem Bau. Im Winter verschließt es ihn und schläft.

Während der Wintermonate haben manche Hasen ein weißes Fell.

das Murmeltier

der Hase (im Sommer)

Man hält Bienen in einem Bienenstock, um Honig zu bekommen.

Die Bienen sammeln die Pollen der Blüten.

die Biene

die Wespe

Die Ameisen leben in einem Ameisenhaufen.

Sie fangen Insekten und kleine Raupen, die sie in den Ameisenhaufen bringen.

die Ameise

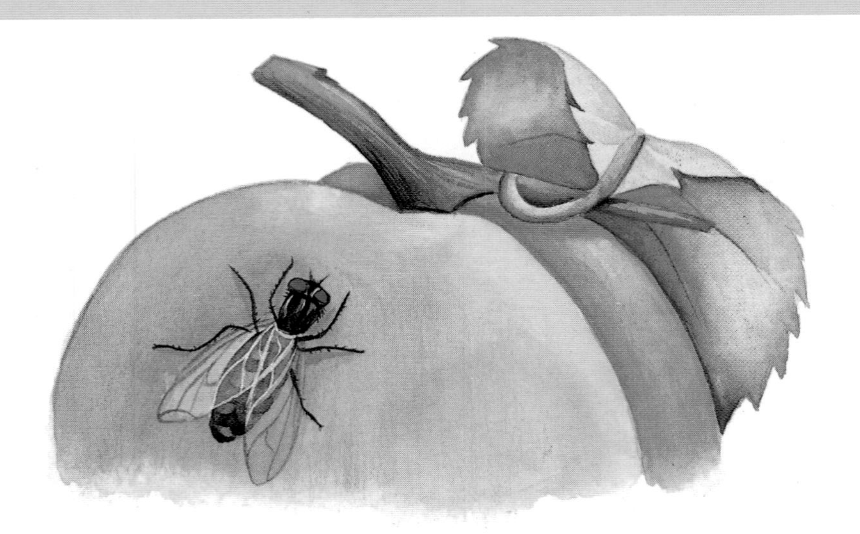

die Fliege

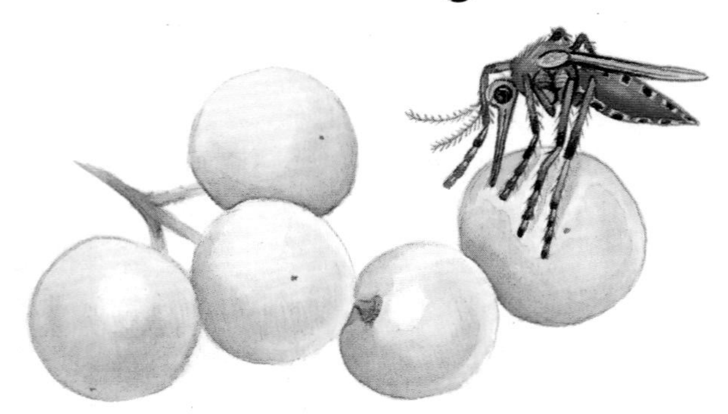

die Stechfliege

der Mistkäfer

der Maikäfer

die Kakerlake

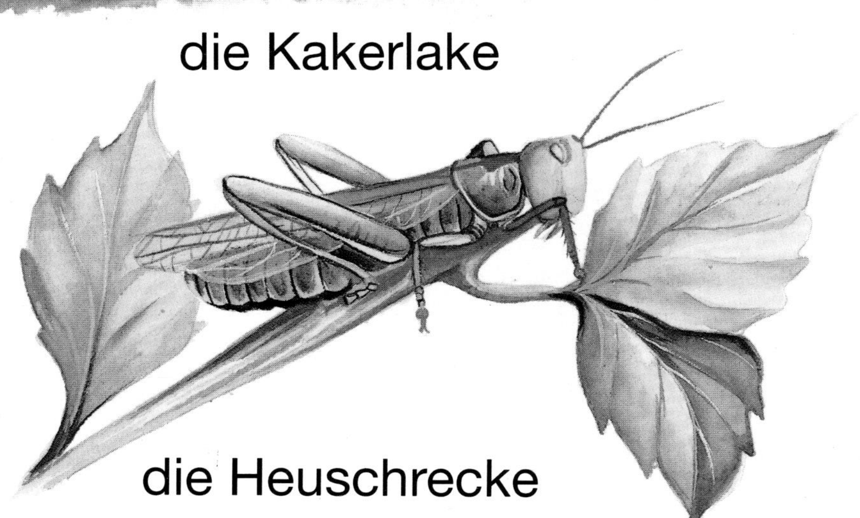

die Heuschrecke

Der Marienkäfer ernährt sich vor allem von Blattläusen.

Die Libelle ist das Insekt, das am schnellsten fliegt.

die Libelle

der Marienkäfer

Die Spinne webt ein Netz, um Beutetiere zu fangen.

Die Tarantel ist eine große Spinne, die sogar kleine Mäuse fangen kann.

die Spinne

Süßwasserfische

die Forelle

die Sardine
der Rochen
die Scholle

Salzwasserfische
die Makrele
der Kohlenfisch
der Lachs

Das Walfischjunge wird von der Mutter gesäugt.

An der Wasseroberfläche holt der Wal Luft und stößt dabei Wasser aus.

der Wal

Der Hai ist ein furchterregender Fisch mit sehr scharfen Zähnen.

Der Delphin läßt sich ganz leicht dressieren.

der Delphin

der Hai

der Taschenkrebs

der Einsiedlerkrebs

die Meeresspinne

der Tintenfisch

der Hummer

die Languste

In manchen Austern findet man Perlen, aus denen man Schmuck machen kann.

Um sich fortzubewegen, öffnet und schließt sich die Muschel.

Der Seestern hat fünf Arme.
Wenn er einen davon verliert,
wächst er wieder nach.

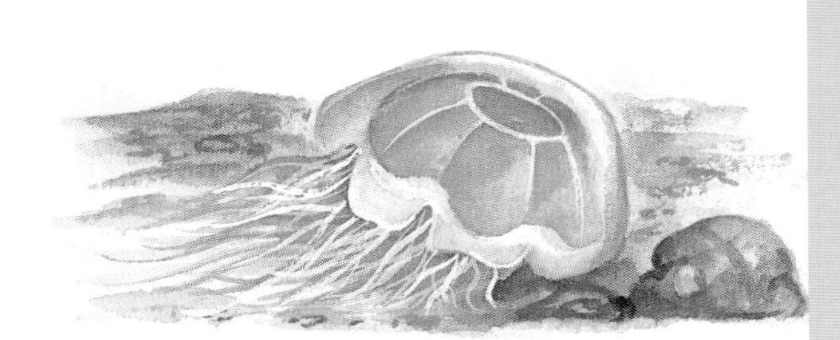

Nimm Dich vor Quallen in acht!
Manche sind gefährlich.

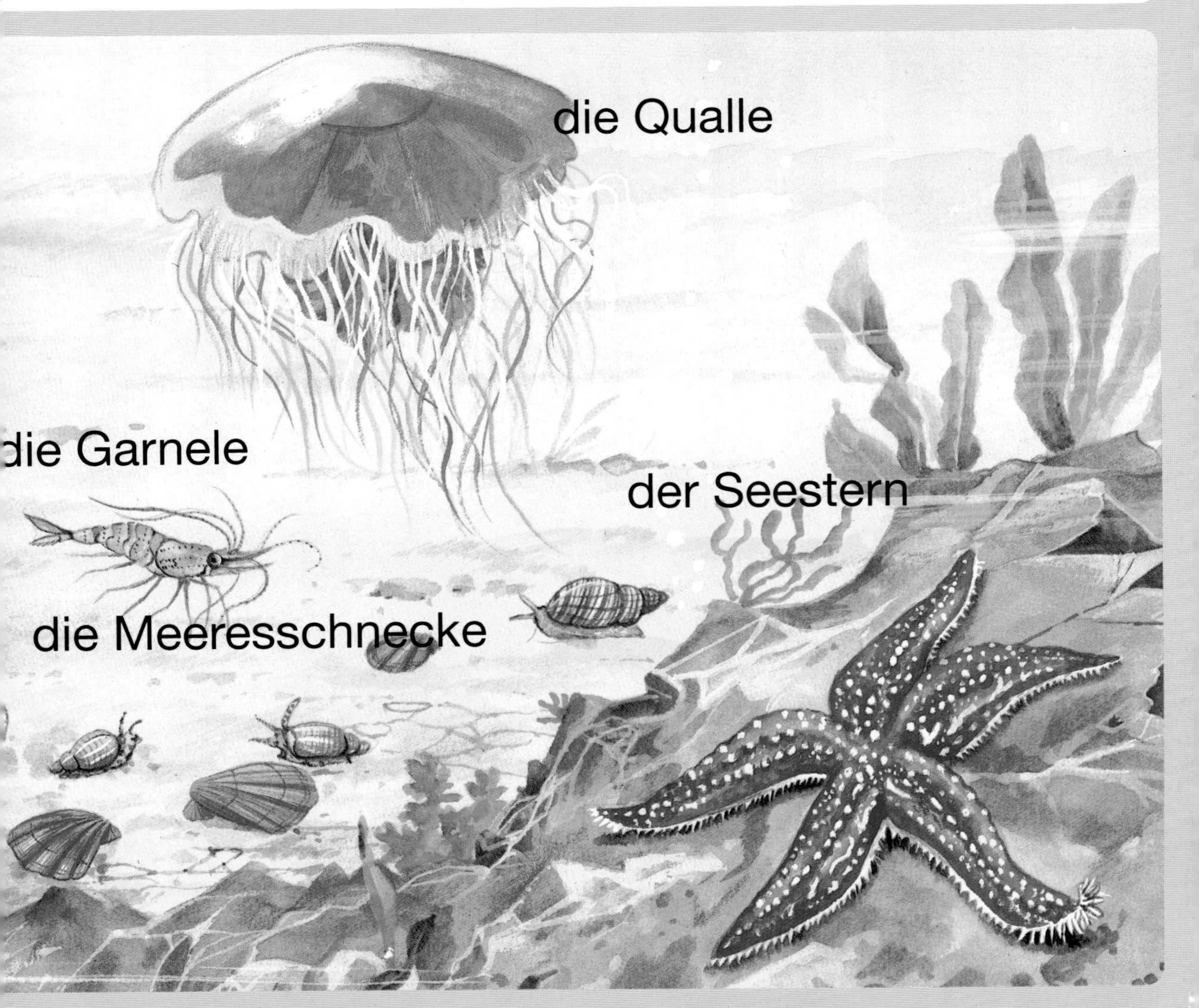

Tiere auf dem Packeis
das Walroß
der Pinguin

der Eisbär
die Robbe
der Seelöwe

Der Eisbär jagt Robben.

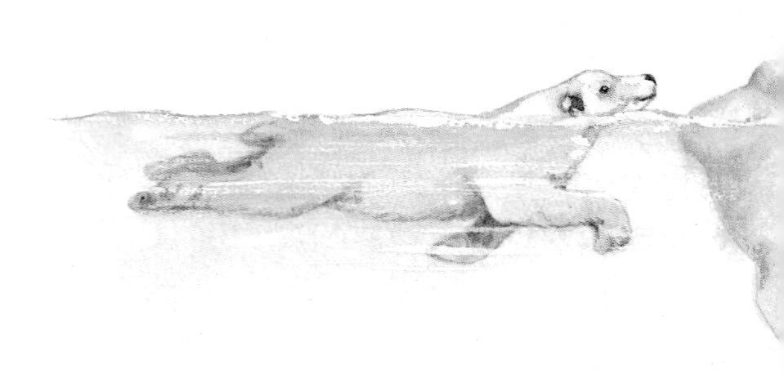

Er ist trotz seiner Größe ein schneller Schwimmer.

der Eisbär

Mit seinem Geweih gräbt das Rentier den Boden auf und sucht nach Nahrung.

Oft wird es zum Schlittenziehen verwendet.

das Rentier

Außer den Katzen, die bei den Menschen leben, gibt es auch wilde Katzen, die in den Wäldern zu Hause sind.

die Katze

die Siamkatze

die Perserkatze

die Abessinierkatze

die Hauskatze

Der Hund des Schäfers ist darauf abgerichtet, die Herde zu bewachen.

Auf dem Land schlafen die Hunde oft in einer Hundehütte.

der Boxer

der Foxterrier

der Cockerspaniel

der Mischlingshund

die Schildkröte

der Goldfisch

das Meerschweinchen

der Hamster

Ausgestorbene Tiere

das Mammut

die Dinosaurier
der Stegosaurus

Ausgestorbene Tiere

der Tyrannosaurus rex

INHALTSVERZEICHNIS

Aus dem Französischen von :
Stephanie Gabriel
Susanne Kaufmann

Titel der französischen Ausgabe:
L'imagerie des animaux
Printed in France